D1493186

RHWNG TAF A THAF

RHWNG TAF A THAF

BOBI JONES

LLYFRAU'R DRYW

LLANDYBIE, SIR GAERFYRDDIN

Argraffiad Cyntaf : Mai 1960

ARGRAFFWYD GAN JONES A'I FAB, CROWN PRINTERS, TREFORUS, ABERTAWE
A'I RWYMO GAN GEO. TREMEWAN A'I FAB, ABERTAWE.

Cyhoeddwyd gan
LLYFRAU'R DRYW, LLANDYBÏE, SIR GAERFYRDDIN.

DAIL HYDREF

(I 2841, WILLIAMS, W. G.)

Llithrodd eu cochni, cochni na cheid mo'i ail,
 Dan gledd y gaeaf, i lawr o'r pren yn lli'
Fel o Bren arall gynt y dafnau dail
 I fod mor hwylus yn destun cerdd i mi.

Caewyd y dail dan gloriau drysau'r dre',
 Mân ddail y dderwen, dail y gwyddfid lleddf.
Rhag i'w haroglau dreiglo ar hyd y lle
 Bolltiwyd eu tafodau gwyrdd gan ddeddf.

Mae'n rhaid eu clymu'n dynn, brydydd di-frad,
 Rhag i'w tangnefedd ddianc oddi ar dy fin,
Fel y bo'r cwymp yn derfyn tlysni'r wlad
 Ac fel na chwyd gwanwyn mwy o'r pentwr crin.

Nyni sy'n cynnal breichiau brwydrau Lloeger
 Drwy dalu'n ddof ei holl ofynion gwaed,
A glywn ni siffrwd, siawns, rhwng llenwi ffurflen
 A ffurflen, y dail o dan ein traed?

Er mwyn i Loeger rodresa'n bŵer bras
 Rhaid credu mai diwedd tragwyddoldeb sy
Yn nhas y dail. Cawn sôn am hedd. Ond gwneud!
 Ein gwneud yw sgubo'r deilios i'r naill du.

CYTGAN:
 O glustog i glustog yr awn yn saff:
 Mewn geiriau hedd mae'n grym.
Draw, draw ymhell mae'r rheol ddur:
 Ni allwn wneuthur dim.

BOBI JONES.

DYDD IAU, MEDI 22, 1960

Y capel unig

Capel bach Tabor y Mynydd yn unigeddau Pumlumon.

ai yn Ewrop, America neu ardal Afon Plate.

EFFAITH AR Y NEWYNOG

I
BETI

Enillodd y gwaith hwn wobr Cyngor y Celfyddydau yn 1958 fel y casgliad gorau o farddoniaeth Gymraeg nas cyhoeddwyd o'r blaen.

CYNNWYS

Cynnwys—Parhad

EIRLYSIAU

Fe drewais wrth gymdeithas
Glòs forwynol wynias,
  Tameidiau'n aros pryd—
Gwibiog ddiferion gobaith
Y bydd i'w patrwm perffaith
  Ymddadlaith dros y byd.

Cysgasai'r haul i'r ddaear
A'i egni'n ddu yn y ddaear
  Fel y cwsg ei dân mewn glo
Nes fflamio'n ôl i'r nefoedd
Ar aelwydydd gwynion gannoedd
  A ddeffroai hyd y fro

A dechrau gorymdaith bywyd.
Mor siŵr ei ddychwel hyfryd
  Mewn gwisg amynedd gwyrf.
Diolchwn, blant y cyni,
Na ellir mygu ynni
  Er gwyro dro ei ffurf.

Y FEDWEN FAWR

Y fedwen! na frolia dy fod
  Yn uwch na'r wal:
Byddwn innau, pe cawn i ddail,
  Yr un mor dal.

Y fedwen! mor wisgi wyt
  Ac ysgafn dy ben:
Ni byddwn innau'n brudd
  Pe bawn yn bren.

SONED

'Roedd eira. Twmblodd yr wybren ar wahân.
Un funud 'roedd yn gyfan saff, ac yna—
Ŵyn, crwyn, ewyn, gwydrau, yn sgyrion mân
A'r holl awyr wedi'i datod, yn ddrylliau eira
Ymdorrodd . . Dyna un o nodweddion y nef, debygwn.
O! na allai'r ddaear ei hun ymwahanu ar chwâl
Fel yna. Hen wyrth y nef ydyw gogrwn
Paradwys drwy dyllau'r gaeaf ar bechaduriaid sâl:
Mae'r byd yn rhy ddiogel. Ond gynnau, ym mis Mai,
Un funud 'roedd y byd yn stafell daclus,
Yn uned sad a chadarn na ellid llai
Na chysgu'n dalog ynddi; ac yna'n ddilys
Gwelais danchwa cras crych caled ddail
Ar frigau. Siociwyd y cae a'r allt hyd at eu sail.

YN YR HWYR

Yn yr hwyr wrth y tân mae fy nhad yn llifo'n ôl,
Rhai pethau a wnaethom gyda'n gilydd, a finnau'n aml
Yn angharedig. Rhithia yno ei gwrteisi ystyriol
A dwyn fy nghalon dan ei aden falch a syml.

Pan chwyddodd y gofod mawr â'i fwlch ef
Ni wyddwn yr arhosai ynof er ei fynd mor derfynol
Ac y piciai i'm pen fel petai am ymestyn gartref
Yn yr hwyr wrth y tân a'i draed ar silff fy meddwl.

Y tu ôl i gefn y byd, yn yr hwyr wrth y tân
Crwydra ei gariad i lawr, wele mae'n dychwelyd.
Cwymp drwy 'ngwythiennau i droi eu trydan
I oleuo 'nghof â'r dyddiau a fu mor hyfryd;
A cherddaf finnau draw hyd hwyr rhyw ddiwrnod
At aelwyd ailrwymo pawb, stôr pob anwylyd.

BETHLEHEM

Pan gododd Ef y trydydd dydd
  Yn faban yn cicio'i goesau,
Beddrod agored oedd ei grud
  Ac amwisg ei gadachau.

Angau ei hunan oedd y nyrs.
  Rhoddasai'i dwylo tyner
Am dwymyn galar byd ei ben
  A'i osod yn ei faensier.

A chododd gri diniwed clir
  Drwy'r stabal a thrwy'r ogof:
"Gorffennwyd" oedd ei faldordd bach,—
  Gorffen ehangu angof.

Gwelwch e'n sugno bawd. Fe chwardd
  Fel ffrydlif mân i afon.
Gwelwch e'n agor llygaid mawr
  Sy'n llyncu golwyth y galon.

'Nawr mae'n darganfod crynder traed.
  'Nawr mae'n dylyfu llefrith.
Yfory cropia i weld ei hun
  Fod clai drwy'r cnawd yn dryfrith.

O groth y groes y daeth i ni.
  A phwy a wadai'i boenau?
Ogof yw'r bywyd hwn ei hun
  I orwedd ynddi dridiau.

Purdeb ei chwys a'm golchodd. Rhamantwr llaith
Wy'n clodfori gŵr wrth waith mewn gwair.

Ni lŷn dim sâl wrth ei bâl o ben
Uwch tyweirch hen: twpsyn trwm yn pigo cig
O esgyrn llwm y pridd, yn was i sen
A sarhad y tywydd; ond heb ddal dig
Try'n ôl ei benliniau cnotiog i'w gwaith drachefn.
Allan yn y niwl fel bwbach brain
Yn y cae erfin, yn hurt dan y glaw
Pren, plyg mewn ufudd-dod cnapiog fel pe na bai
Neb ond ef yn ddigon isel i gosi rhaw
Na neb ond yr hanner-pan yn ffit i'r drefn
Daeogaidd. Ni chudd ei fysedd budr
Rhag llygaid petalog yr ymwelydd o'r dref,
Canys symudiadau'i gorff yw symudiadau mydr
Y tlodi sydd yn y cae. Ac onid ef
Biau'r gosb, biau'r dioddef? Y mae rhaid
Y dyddiau gwag wedi codi clawdd
O gwmpas ei dynged. Wrth bŵer y llaid
Y ffitia weiren ei egni, a gyrrir nawdd
Bwyd-a-gwres ar ei hyd trwy'r dydd. Ac yn yr hwyr
Bydd e'n iawn os caiff swllt neu ddau i chwarae â gwn yn y ffair—
I bawb ei briod nef. Ac am hwn, ni ŵyr

Mai trwy Lafur a thrwy Angau yr adenillir Duw
Wedi Eden, ac mai Llafur yn ei racs yw brenin byw.

PORTREAD O FARDD

Closiaf yn dy dŷ, dan dy do, at dân d'awen
Dyddynnwr diddan! Gwyliaf y tulathau hen yn tonni'n llawen
 Yn y nenfwd cadarn coch a'i gysgodion tlws.
O'r fath gadw, a chanu'r cadw a fu yn dy gaban,
Y fath foli'r cynaeafu cadw—bywyd y baban,
 Bywyd y llanc, bywyd yr henwr tu ôl i'th ddrws.

Ffenestr yw dy groen yn tynnu goleuni cymdeithion,
Eu cymathu yn dy galon, yn dy enaid, yn dy lygaid lleithion;
 A throist yr ergydion hwythau yn fawl i fyw.
Ffitiodd Wil a Gwladys a myrddiwn o'r werin,
Fel fframin ddur yng ngwneuthur nyth d'aderyn,
 D'eryr dewr a glwydodd yng nghlawdd y dryw.

O'th Breselau anferth cloddiaist furiau dy berthyn
A cherbron trawstiau'i haul cyflwynaist werthoedd dy chwerthin:
 Unaist dy bobol mewn dirgelwch fôr.
Cynhwysaist ninnau yn dy deulu. Cenaist
Berfedd gwyn dy glod a'th fod a phlennaist
 Dy ddail yn ein gardd-gefn mewn gynau cywir megis côr.

Tlawd yw fy llais yn esgyn dy gegin. Eisteddaf
Ar y llawr wrth dy draed. A heno gwleddaf
 Tan ganol nos y ddaear. Ni bydd pall
Ar ddydd dy chwedlau. Hai ddrws! Led y ddaear
Yr ymdasgant, led dy neuadd, er mor glaear
 Y gwrendy culni eang dy genedl gall.

PORTREAD O ATHRO YSGOL

Arddwr y plant beunyddiol! Filwr cenedl!
Mi folaf sialc dy wallt tra bo ynof anadl.
Oni chefaist wyn ei boen gan gleddyf Arthur,
Gan stranciau Twm Siôn Cati cyn gwynfyd Gwener?

Waelod eneidiau! Bregethwr Chwedlau'r Llynnoedd!
Weddïwr treigladau glân! Dy goledd gwylaidd
Yw'r ystrydebau dysg wedi rhinio'n anturiaeth,
Y gorffennol a oedd i'n bro wedi troi'n drannoeth.

O'th law daw Harri Morgan i Maracaibo
I ollwng ei longaid tân. Ac yna chwifia
Gledd rhwng desgiau. Cladda mewn llyn o ddinistr
Holl gyfoeth Panama rhwng drws a ffenestr.

Brasgama Rebeca hithau, O! mor anfenywaidd,
At iet Efail Wen a heibio i dollty'r blynyddoedd
I dywallt tân annibyniaeth yn llygaid plantos;
Oni chredwch fod Twmi bach yn Garnabwth addas?

Mae gwlad mewn dyn; a thrwyddi lleda wledydd
Fel gwawr yn estyn atynt basiant bysedd.
Ti hefyd yw'r afon dros eu clustiau; y rhaeadr a'u cluda'n
Wreichion am haul; tir a dŵr eu hymchwilion.

Mae rhith mewn afon; Orphews wyt, a thonni
O flaen pob einioes fach, a byrlymu i fyny
Tua byd rhydd dynion, a'u harwain o'r tywyll
Heb edrych unwaith yn ôl at wag eu ffynhonnell.

Mae petalau'i lliw
Yn geiniog goch.
A phan â-hi adref
Ni chlywir sawr
Ar ei threigladau.
Ni ŵyr yn iawn
Sut mae plygu
Yn awel y pentref:
Hi a'i hewinedd tref
A'i gwefusau tref.

Cloncia'i phetalau
Fel ar gownter.
Gadawodd Sir Gâr
Lle na chaiff ddŵr pibau,
A dim ond clawdd
(Neu fwced mewn cwt pren
Ym mhen draw'r ardd
I'r ymwelwyr.)
Ac nid yw mwy
Yn Lili Ann.

Eto, pe gwelit hi
Ar ei gwely
A gwyn ei nwydau'n
Flodyn agored led ceg
Yn tynnu cleddyf neu bastwn
Tua'i chalon
Fe wyddit mai yn y wlad
Y gwreiddiwyd ei chyhyrau.
Yno gwelit sglein
Ar ei ffolennau trist.

PORTREAD O FENYW FEICHIOG

Heddiw gorymdeithia ei siâp fel chwyddiadau cân,
Yr adenydd sy'n ei rhyddhau, ei gorsedd, ei thŵr.
Byrstia y wlad â'i bod, â'i nod, â'i blodyn,
Cofgolofn uchel ei hangerdd, dawns ei bol.

Mae'r diferu a fu'n nant i'w gobaith yn chwalu'i glannau,
Yn chwyrlïo mewn llifogydd. Dowch o'r ffordd bob un.
Pa le mae'r mynydd mawr nas boddir bellach?
Yr arswyd! Edrychwch yma. 'Does dim yn uwch.

Ar hyd a lled ein caeau mae'r byd yn ymlwybro.
O rhedwch bawb i'r ochrau. Mae'n eang fel amser.
Gwyliwch fysedd eich traed. Mae'n cario pwysau
Awen y tymhorau, pwnio cudd ei thipyn cyw.

Ac ar ei hwyneb mae gwên yr Hollalluog.
Pwy? A welodd neb y cyflawni hwn o'r blaen?
Telora'i gorfoledd ar do heulog ei hyfory:
Ar frigau'i mynwes trydara'n golsyn byw.

Carcus ei cham rhag sathru wyau'r Cread.
Ysgawn ei chalon rhag pwyso ar y bach.
Rhodia, fel Pedr ar ddŵr yn betrus-lawen,
Nes glanio puramid ei balchder mewn Canaan sych.

PORTREAD O WLEIDYDD

Ni elli ddadwneud y canrifoedd cywilydd,
Brawdoliaeth brad y cynffonna a'r cilio,
Y cyffro yn y nos o wybod cafflo
Iaith, bro, traddodiad a hyder gwyn
Teulu'n pentrefi, y troi pen sydyn
Wrth ganfod marwolaeth yn llechian
Yn yr allt yn barod i'w naid olaf,
Yr hanes druan a lapiodd Cymru amdani ei hun.

Mae sawyr gwaed amdanynt. Mae glaw
Trychineb yn eu trochi. Ac ni elli sychu
Y canrifoedd cywilydd na chario'r llwyth
Sy'n diwyno'n gwlad. Y pleidiau estron fflyd.
O sut y ceir deall y materolwyr mud?
O'r braidd y gellir cylchu
Ffieidd-dra'u henwau gwarth, y gwerthwyr pau,
Sentimentalwyr Mamon a ddarmertha ddagrau
Fel toddion moch. Sut y gallent byth
O flaen y mynyddoedd hyn, yng ngŵydd
Dyffrynnoedd anian Duw, yng nghlyw
Ei emynau, ei gwerthu hi â sws?

Hiraethi a chenfigenni am fod fel cenhedloedd
Eraill, cenhedloedd di-lên, di-lun a gadwodd
Hafddydd eu rhyddid rhag y llid a'r llwtra:
A gweli ddodi'n diwydiannau ar glwyd dirdynnu
Gofid a gofyn eu hiaith, a'r annog maith
I ubain, i sgrechian "Cenfigen, hiraeth,"
Lle y buasai'n gaeth eu rhagflaenwyr ac yn ddiddig
Wrth gadwyn ei breichiau bonheddig.

Hen deimlwr cydwybodol craff, fe deimli dro
Y gallsai fod fel cenhedloedd eraill,
Fod ganddi fywyd yn gwenu yr un ffordd
Annwyl. Teimli weithiau, nes cofio
Na ellir dadwneud y canrifoedd cywilydd,
Brawdoliaeth brad y cynffonna a'r cilio
Y codir dyfodol arnynt, ein Cymru sydd.

A phan weli'n proletariat a'n haelodau seneddol
Yn gweithredu fel pe na fodolai hon erioed
Cleddi dy fedd, genir gwŷn dy benderfyniad
Gan y Mamon Cymro a'r Mamon Sais.
Fe'th wneir di'n Gymru, fe'th wneir di'n fyw,
Fe'th grëir di gan groth dy ddioddef.

PORTREAD O DOCYNNWR

Nid oes dirgelwch yn hwn: rhois fy llaw
Yn ei galon, a chnoc: gwelais mor gwla
Oedd byw. Sbectol ddu, talog, bas,
Mor llwyd ei wep ag angerdd siop.

Mor aml mae bywyd, mor siomedig o gyffredin:
Nid yw'n economaidd brin nac yn gamp
I ddyn nac anifail. Mae fel chwyn.
A dyma hwn—Sosialydd mae'n siŵr
Ac fel stryd yn egwyddorol,—yn bod
Heb ryfeddod. Nid edwyn ond bws.

Nid edwyn ond bws. "Ticets plis"
Wrth farwolaeth, wrth gariadferch, wrth ing.
Swllt yw dyn, a dwy geiniog o newid.
"Ticets plis" wrth y gwanwyn, wrth hydref,
A stop. O Fair-lle-nad-oes-cae-heb-bridd,
Coch-heb-rudd, coed-heb-wraidd! dim ond bws!

Dan aeliau lliw llech, llwch yw ei lygaid
Heb ffrwydro gweled, heb flas edrych, heb.
A geir Duw yn y rhain? Chwilio'r llif
A chwalu'r llaid, prociwn y pysgod
Yng nghysgod y Llyn er mwyn rhwydo'r Llyn
Ei hunan—hwn a'r lleill—a fydd fyw yn y rhain?

O Dduw: bws, pŵls, bwyd, peint, bois, pres, bedd.
Beth garwn ynddo? Onid caru'r angen.
Yr angen sy'n angori pawb. Cans rhoddwn oll dorthau
A physgod i Grist, a thry hwy'n gread anferth.

Pan godwyf fy nwylo gweddi ambell dro
Mae cwthwm o awel yn torri tros yr arddyrnau
Fel y tyr dy wyndra dros fy meddwl heddiw,
Gwyndra a aeth yn gandryll.

Yn fanwl gywir nid oes gennyt ffurf
Na'r un sefydlogrwydd. Ond dy ffurf yw dy ffaith
Sy'n anadlu drwot, yr hinsawdd a grëwyd
O'th gwmpas, yr iarlles gan bob ffynnon.

A phan fydd fy ngwraig yn tynnu ei ffrog oddi amdani
Am eiliad can uwchben ei breichiau pleth
I fyny yn yr awyr bydd y ffrog yn wyntyll
O fflamau lliain ar ffurf adenydd briw

Cyn diflannu. Felly hyhi. Yr iarlles Cain,
Uwchben ei breichiau cwymp tasgiadau sidan,
Gwylanod powdwr, deilios disglair haf,
Salmau llygadog pluog, gerlontiau glöynnod aur,

Diferion lleuad. Na, na, na! trugaredd.
Meddianna 'nghaban undyn hwn yn llwyr;
Meddianna bawb, ac yna â'i swyn
Mi amgylcha'n bendefigaidd-lwyr eu henaid.

Nepell i ffwrdd, ei chwaer, mae hithau'n ddel
I'r synhwyrau glwth sy'n mwyn-ymhoffi mewn
Dyfnder cnawd ac aelodau bras. Ond hon
Mewn tynerwch mae ei gwasg yn ysgafn

A'i choesau'n hir-aroglaidd a'i gwddf yn ysgafn hefyd.
Nesâf i aros yn ei phabell hapus,
Ym mru ei morfil hi dair noson aros
Cyn atgyfodi'r trydydd dydd yn ôl
I Ninefe.

(Ei chwaer—Rhaeadr Mawddach)

19

AMWYTHIG

Yma yn Lloegr mae tref yn gartrefol
A dedwydd mewn trefn draddodiadol.
Bras yw ei herwau tai mewn bro siriol,—cymesur
Ei meysydd brics mewn rhuthmau oesol.—A gorwedd
Ei gwelydd mwynwedd fel gwledd maenol.

Rhwng coesau cysgodol y bwrdd hwn gwrandewch
Ar y llygod bach Cymreig a wichia'u prysurdeb
Cyn brysio'n ôl â briwsionyn swil i'w nyth.
Hithau'r feinwen o fonedd, Dywysoges y Goror,
Estynna'i haelodau llydain ar lannau Hafren
A gwylio'r parseli a'r eglwysi, y gwestai a'r cŵn
Yn blith-draphlith rhwng y caws a'r sawsiau
Ar y bwrdd nobl. Mor loyw-Seisnig yw'r cwbl;
Yma yn Lloegr mae tref yn gartrefol.

Bwrdd hir yw'r stryd hithau a'i siopau siapus
Yn uchelwyr tagellog sy'n gwledda wrtho.
Clywir tincial miri eu gwydrau mirain
A sŵn y bwyta sy'n dyneiddio'r palmentydd
O ffenestr i ffenestr. Hyd at eu ffiniau
Clywch acenion moethus corneli Amwythig.
Yma yn Lloegr mae tref yn gartrefol:
Mae pared y canrifoedd Seisnig o'i chylch.

Syrth briwsion atom o'i threfrwydd hi weithiau.
Porthir ein llygaid gweunydd gan y tai du a gwyn,
Tai coch, aelwydydd lle y bu Housman, Coleridge
A Hazlitt, tai ffermwyr ymddeoledig, tai heirdd, tai beirdd
Yr iseldir gwydn hwn. Ac anadlwn gadernid
Ei hawyr ddynol a'i hystafelloedd tesol, twym.
Yma yn Lloegr mae tref yn gartrefol,
Er nad yw'n barhaol, gwae ni, fel y bytheiria hefyd
Anghymdeithas lafar y barbariaid sy'n ymgloi dros y bwrdd.

LLANSTEFFAN

Mor llonydd yw'r plethwaith gwylanod uwchben y castell
Fel petaent wedi tyfu i mewn i'r heulwen am funud.
Bydd eisiau ymarfer â phresenoldeb gwylanod
Er mwyn cadw'u hehediad ysgafn pan na fyddont yma.
Mae fy stumog yn twymo atynt.
Trônt ar eu hadain hudol yn erbyn yr awel;
Rhwyfant, fel afon 'rwyf am ostwng cwpan ynddi,
A llifa'i holl blu dros fy mhleser.

Cof castell, cof pentref, cof pobol yn gwylio adar
A Thywi'n mydru pryder ar ei thywod:
Mwythant dinc addoli heb ei gynhyrfu.
Hen bentref tlws lle y daw'r holl fyd i ymddeol.

A chlywir oglau adfail yn yr oedfa:
Fan draw, y brain yn eilio cwt eu hemyn,
Ymlyniaid dof defodau twt eu teidiau
Yn gwyro gerbron sgerbydau atgof a fu
A'r bobol islaw (ai pregethwyr?) yn dyfynnu Saesneg.

Hwyl lân i'r gwylanod fel angylion ar hynt trwy'r pentref!
A goleddant hen anian ysbrydion y byw a gleddir?
Yr haul yw'r enaid unig ar eu hadain.
Yn ias hir luniaidd glawiant mewn cylch isel
I sibrwd purdeb wrth y malurion cyfoes,
Cysuron gwib cyn dringo ar gefn y glesni.
O! gofaler ymarfer â phresenoldeb gwylanod
Er mwyn cadw'u hehediad ysgafn pan na fyddont yma.

JOHNSTOWN

Mae bron yn wyth o'r nos:
    Yr haul yn ffarwelio acw
    A'r holl gymylau bach
    Ar dorri i wylo.

Wrth allt o'r lleiaf yng ngorllewin Cymru
Treuliaf yr hwyr yn hwylio maddau
I'r boced-wlad, i'r gwter-fro
A weodd eu poen yn fy nghroen a'm co'.

Maddau yw ffawd ein ffydd. Ond dywed,
Os bydd cariad yn troi'n ffyddlondeb
'Dyw ef ddim yn werth y calonnau
Y mae wedi sgrifennu arnynt. Mae haul

Yr ardal mor dila. Anodd maddau
Drewdod tywyll ei gwefusau paent
A phowdwr crin ei hiaith, a'u dwyn
I'w ffitio yn amlen fy nghalon gul.

Edrych beth a wnaethpwyd i'r baban.
Fe'i harweiniais gynt yn ferch i dai golau,
I feddyliau hapus; ond 'ŵyr hi byth
Eto sut i chware mig fel honno.

'Roedd ei symlder a'i hanwylder yn ddihareb
Yn fy myw nes ei symud fel sychu sialc
Oddi ar fwrdd du. A dacw hi, sialc, powdwr,
Yn gwylio'r cysgodion olaf yn y pentref. Y Bwrdd Du.

    Onid yw'n wyth o'r nos
    A'r hwyr yn hen?—Twt, lol.
    Mae'r dydd yn ifanc eto.—
    Ydi, lanc, ond mae'n marw'n ifanc.

CAERDYDD

Yma lle y treia Taf ei math o fôr undyn
Rhwng muriau gwythïen na châr y gwaedlif du
Mae blas anobaith, pontydd traffig i bobman
Heb gyrraedd yr un, a'r holl orffennol gwlyb
Heb berthyn i'r dyfodol. Yma y treia Taf.

A minnau'n llanc agored i ysbrydoedd
Fe ddarfu iaith i mi fel digwydd byd.
Diferodd arnaf, meddiannu â chefnfor iach,
Tonni o'm cwmpas a chwyddo'n ysgwydd esmwyth
Ac eto'n ffres, yn bur, yn glir fel dŵr,
A'm boddi.
Mae rhywbeth nas adwaenir mewn dŵr.
Awyr sy'n drymach yw ond heb bellter awyr
Boed ef ar ymyl llyn fel aelod gwyn, mewn crwybr anadl
Neu ar lan nant a'i sêr yn ffair ddisobrwydd
Neu'r môr, mae'r môr yn alarch sydd yn symud
Dros fynwes drist ein llygaid heb lesgáu,
Yn symud gyda nerth a thrwch distawrwydd.

Estynna dŵr ein hystyr: ef yw'r cydiwr,
Yr amgylchydd ar ein teimlad, dwfn i'r wefus:
Mewn bedydd mae mor dawel â chwsg rhiain
Yn cyffwrdd â'n talcen cras gan wybod poen.
Daw i mewn i'n dwylo fel anifail;
Llithra o'n gafael fel einioes. Ond ysbryd yw,
Ysbryd sy'n oer ar goesau. Crys y ddaear.
Chwarddwr aflonydd nosweithiau glan y môr.

Pan oeddwn yn llanc o gorff, yr iaith Gymraeg
A dasgai gynt drwy hwyl a mawredd llysoedd,
Ond 'nawr sy'n sugno ystyr ein gweddillion ynghyd,
Hi fu. Sut geirio curo'r galon?

Y derbyn ar fy nhalcen? Llywiodd fi
Rhag strydoedd dur, drwy goridorau clercod
Budr eu cenfigen a'u hunan-falchder brics
Ar hyd papurau punt a chwantau neis
At fae. O sut dywedyd cic fy llygaid
O weld y gwahaniaeth rhwng yr hyn a fûm
A'r cyfle i fod yn grwn fel nas breuddwydiwn?

Ie, gwaed yw dŵr sy'n picio i lawr i'r gwreiddiau,
Yn cronni'n bwll wrth dyllau sudd. Ireiddia
Gleitir na fu ond c'ledi pigboeth arno.
Mae'n grwn, yn goch fel afal. Ac O fe red
Rhwng brwyn fel merch, fel gwiwer rhwng y glannau.
Fe allech chwerthin pe gwelech mor fabanaidd
Yr ymglyma wrth gerrig, a'i drwyn a'i draed
A'i ddwylo mân yn palfalu. Teifl
Freichiau o gwmpas llawenydd; dawnsia'r diferion
Ar bennau'n llywethau'n gynt na phelydr chwil.

Gyda'r glaw plwm yn yr hwyr glân,
Gyda'r dŵr trwm hyd y llawr hwn
Disgyn yr iaith o air i air o flaen y gwynt crin,
Yn ddail-ddafnau yn y niwl. Niwl.
Mae'r safonau wedi cwympo, ac yn awr y geiriau
Coch, melyn, brown, gwyn, yn chwyrlïo tua'r tir
I orwedd, pa hyd, cyn bod powdwr pwdr.

Yma lle y treia Taf ei math o fôr undyn
Mae'r dŵr yn cilio, yn troelli'n chwydrel sur
Ac yn ferbwll. A fydd yma beth mewn unman bellach?
Ai crai wastadedd cras? Ai dail crych
Heb ddyfnder glas? . . Os felly, llawenhawn
Am y dŵr sydd yma ar ôl; ac na chynilwn.
Iechyd da, pob hwyl, i Dduw a fu'n ymsymud
Ar wyneb dyfroedd. Iechyd da iddo Ef
A godai ddyfroedd bywiol o bydew cenedl.

PRESELAU

Dodwn barch ar fynyddoedd am eu bod yn berchen,
Yn estyniad i'n corff. Cyffyrddiad eu ffyrdd
Tawel a'n cydiodd wrthynt. Dyma'u perchentyaeth.
Yn ein haelodau mae brodiau'r grug a'r rhedyn ysbrydol
Yn wraidd a draidd i ecstasi pen neu droed.

Gan gadw-mi-gei ein hanes y cawsom bob gobaith.
Cynilwyd ynom y mynyddoedd yn ddyletswydd, yn hawl.
Rhaid ufuddhau a gwrando traddodiad y chwibanogl
Yn goroesi arian y gweunydd ar ei chân grisial,
Yn gwaedu banciau'r rhostir aur hyd y godir.

Mor dlws yr ymddengys y bryniau dan sawdl estron.
Mewn perygl, anwylach hawddgarach yw'r rhiwiau hyn.
Pan haeddwn ein rhyddid tybed a fydd golwg mor gyflawn
Ar y cyffiniau lle y mae'r gorffennol
Yn llercian, yn bwhwman o hyd?

Ond yno, yn ymyl, nawf y grifft diwydiannol
A'i unig wreiddiau yw gwreiddiau cornwydydd corff.
Os yw pob concwest yn farwolaeth, o leiaf i'r concwerwr,
Rhaid mai ei farw ef yw'r blas cas sydd yn ein pentrefi:
Drwyddo ef druan y cawsom ei ran o'r haint.

A nycha felly'r trumiau am eu bod yn uchel?
Uchel yw urddas yr awyr. Mor uchel â dyfnder
Y tyweirch, a cherddwn yn wyrdd eu ffyrdd tawel.
Gwareiddiwn ein dwylo taeog yn eu gwreiddiau
Melys; ac iachach fyth fydd ein gwaith o warchod moelydd.

CWM GWENDRAETH
(YN NECHRAU MAWRTH)

Gorweddai hithau'r wrach mewn gwely plu: cysur ei chorff
Yn galed i'r cwm; du a llwm pob pren, pob nant yn sarff.
Cyrliodd ei melltith wen amgylch-ogylch tŷ a stryd
Ac ar hyd y ffermydd nid oedd ond brwyn, nid oedd ond brain
    drwy'r wlad.

Ac yno'r oedd y widdon yn ei gwisgoedd slag yn y cwm yn
    chwyrnu gwae,
Unffurf ei chroen, a hesb ei llwyn, a'i dial trwm yn cnoi.
Coeliem na ddeuai byth yn ôl y ddawns ddiniwed seml:
Gwasgodd y barrug yn ei bryder ar galon dyn mor aml.

Yr hwter oer o wyndra'i phen, mwg eira draw drwy'i bod.
Negyddwyd hoen ei hafddydd dall a'i hedd, fel diwedd byd.
Claddwyd yn ddwfn yr ysbryd creu dan nosau gwasaidd, sâl;
Eto, er tagu'r egni gynt gan wynt mae yma'n ôl.

Er i'r corwyntoedd ladd yr ir mae gyda ni o hyd;
Er rhuo a rhewi o dorf y nef erys yr wy a'r had.
Fe dyr drwy'r mwrllwch a'r lludw siabi, fe gwyd drwy'r tipiau'n
    gân:
Er tystio o'r oerfel am gwymp pob cnawd egina gwanwyn dyn.

Yn y dirgel, ynghudd ym mhoced Duw mae morwyn na bu ei
    math,
A daw o'r tywyll; ynghlwm wrth ei llun mae calon dyn ymhleth.
Bydd hi'n gwisgo ffrog ar sgwâr Cross Hands o ddail a blodau
    coch
Yn dynwared gwanwyn i helpu'r sudd i ddwyn y rhydd o'r llwch.

FERRYSIDE

Iechyd da i'r cychod bach sy'n wincio o'r dŵr
Ac yn siglo poteli eu hwyliau yn faban i gyd.
Ysgubau yw'r holl geriach hyn; a'r haul yw eu ffarmwr
Trwyngoch yn lluchio'r cyfan 'lawr ei gambo ŷd.
  Mae llond ei ffarm o gyfle
  Dros y bar hyd fôr y bore
I wincio'n wyllt, a'r tonnau'n feddw-gorlac ar eu hyd.

Hwrê, ddirwestwyr cestog, dowch o'ch anferth o gysgu
I'r cychod mor ysgafn â chysgod. Ar lawr yn y dŵr
Cewch sblais o ffarmwr chwerthinog. Ac o ddrws y beudy
Mae'r wawr yn ei ffedog newydd yn cadw stŵr,
  Gan ddwrdio'r cychod a'r pysgod
  Ac ansadrwydd sydyn y tywod
A dywaid wrth y dyfodol yr holl hanes am ei gŵr.

Oni ddowch 'nawr, fe gollwch wydraid o chwedlau.
Paciwch y lludw yn eich poced. Dodwch drwyn dan y don.
Yn wysg ei geg mae'r trai'n simsanu adre, a dau
O'r cychod bach diniwed acw eisoes yn rhy lon.
  Pa ots am y tipyn drysu?
  Dowch o'r cywain; dowch o'r chwynnu
A ffolwch ar ffrothian pitw bach y weirglodd hon.

Ble mae 'nhraed? . . Pa waeth? Mi af yn fy siaced.
Yn rhibi-di-res strancia f'aelodau tua'r bar;
Ac wedi drachtio buddugoliaeth yr awelon agored
Mae poen yn fy llorio o'm hiad hyd fy ngwar.
  Bu gwichiadau'r holl gychod
  O'm cwmpas yn ormod.
Gwell imi, wedyn, beidio â mynd yn ôl yn y car.

BAE CEREDIGION

Pan agorai yng ngwyndra'r haul y dail newydd
  Drwy wyneb dy ddyfroedd a champio i'r awel,
  'Roedd sug y gwanwyn yn dychwelyd yn dawel
Hyd fôn pob moryn; a gorlawn distrych manwydd
O flagur a gannai ymyl cloddiau'r dolydd.
  A gwiriwn mai ei hysbryd hi hyd y gorwel
  A'th unai yn dyfiant blith; a'i lledrith anwel
A'th wnâi ym irlan eto. Ym mhlyg dy feysydd
Hi yw fy Mawrth, hi fy Mae Ceredigion:
  Llama drwy drymder pen, byrlyma drwy'r gwythi,
Lluchia'i hegin llachar dros fy nghreigiau sychion,
  Gylch a chabola a thardd ei blaenffrwyth heli
Uwch y swnd di-sêl. Na, ni chlywodd hil dynion
Hafal i'r gwanwyn sy'n torri o'i goror hi.

Pan sgleiniai ar ddydd heulwen gwanwyn dy ddyfroedd
  O afiaith byw, 'lan at ewyn y gwylanod
  'Roedd gloywder a glesni tasgiadau o'r manod
Yn taeru bob munud mai fy meinwen bioedd
Y golau a'r awel, ac mai eiddi'r miloedd
  Wybrennau a ddyfnhâi dy ddyfnder. Eu cysgod
  Ni ddôi ond o'i mynwes ataf. Cantre'r Gwaelod
Wyf finnau, a thrwy fy seleri a'm celloedd
Taena'r tonnau a oedd eiddi i'm neuaddau.
  Hi sy'n chwyddo danynt, sy'n chwythu amdanaf
A throelli'r swnd a'r gro; diau fod ei gwenau
  Wedi cau am fy nrws, dros fy enaid. Dysgaf
Dan drai a llanw eu llonyddwch am chwarddiadau
  Na wyddwn amdanynt gynt drwy rialtwch claf.

F'uchelgais yw bod mewn maes,
Mewn maes sydd fel gwely golau
Gan siglo y glaswellt â bysedd fy nhraed
A'r awel ar eu holau.

Golau'n anad dim.
Rho im deimladau golau,
Lliwiau a'u lluniau a all fod yn swil
Ond a dyr drwy waliau.

Canys golau yw calon dân
A egina yn ddewr. A dewrder
Symudol y golau bach
Yw arwr fy mhader.

A'm huchelgais am byth, bob dydd,
Fydd symud mewn golau;
Er hudo go dywyll y glesni i gyd
Y melynau fydd orau.

I BETI'N FEICHIOG

Agor a wnei fel blodyn Mai
    Cyn cau amdanaf fi.
A rhaid 'ddaw arnaf weithio pwt
    I'r ddau ohonot ti.

Fel haul y bore agori hwyl
    A pharasôl dy wres.
Agor a wnei fel dwylo hael
    I roi in log dy bres.

Mewn gwely cymeri le dros ddau,
    Am gwsg y mae dau chwant,
Parod wyt ti am brydau dau,
    Ond llawen wyt dros gant.

Yr wyt ti'n fawr: yr wyt ti'n fwyn.
    Rhoed crwyn y tes i ti.
Yr wyt ti'n ddel. Wel, 'rwyt ti'n ddau!
    Bydd rhaid dy alw'n "chi".

I DAMAID O BORFA'N YMWTHIO RHWNG LLECHI PALMANT

Mae Ef wrthi'n ailadrodd Ei berfformiad nosweithiol
Mewn golau peiriannol ar ganol y dref.
Er gosod maen am Ei dafod Ef drosodd a throsodd
Deil i lefaru drwy borfa a delweddu mewn gwellt.

Mewn cynulleidfa filwrol mae'n chwarae Ei heddwch
Bob nos ar y sgwâr. Mae yn gantor o hyd.
Gordreiglwn y maen hwn mor hen ag y medrwn
Drosto, a thafoda'i fellt o'r ddaear yn rhydd.

Dilyw yw, glesni huawdl ac ieuanc:
Areithia yn Ei fywyd a damhega ar bob tu.
Pan edrychwn, mae angylion yn ymyl y llwyfan
A'r niwl wrth y cefen a'i ben yn ei blu.

Mae hyn oll yn ddirgelwch: draw gwyliwch Ei eni—
Llysieuyn y blaswn lu-gnydau ei gnawd.
Wrth ei flasu try'n wermod fel pob tamaid sy'n tyfu
Ond mi wn dan f'asennau ddyfod syndod yr awr.

Mae Ef wrthi. Gall y gwareiddiad gwirion sydd ohoni
Ei ladd a'i orgladdu. Prancia'r cynhenid drwy'r pridd.
Yn llaw y glaswelltyn mae'r cread yn crynu,
A hea dragwyddoldeb ei hun: tirion yw'r tir.

I

Unwaith drwy Allt y Cnap
  Dychwelwn adre'n brudd
Am fod fy myw'n ddi-hap
  A dydd yn dilyn dydd.

O lannerch yn y wig
  Canu a daniai'r fro
Drwy'r brigau'n chwarae mig
  Â'm clustiau. Oedais dro.

Ac yno ar y llawr—
  Cannoedd o ddynion mân
A merched gwyllt fel gwawn
  Yn hylaw nyddu cân.

Mae'r cylch yn dawnsio'n flêr,
  Chwyrlïo'n wallgof braf
Fel gwenyn meddw i'r sêr
  Ar noson dyner haf.

Teimlaf eu hoywder hwy:
  Tynnu fy meddwl mae.
Ni allaf aros mwy:
  Rhaid 'muno yn y swae.

Mygaf yr ysfa hon
  A gwyd yng ngwyll fy ngwaed;
Ond po fwyaf tyn fy mron
  Mwyaf rhwydd fy nhraed.

Symuda 'nghoesau i
A'm meddwl draw i'w byd
Yn rhuthm eu murmur ffri,
Yn iasol hwyl eu hud.

Ymunaf yn y ddawns,
Gafael mewn dwylo rhydd.
Ar glorian siriol siawns
Fe daflaf owns fy ffydd.
Fe daflaf owns fy ffydd.

II.

Ond 'n ara'-deg o'r fan
Ciliodd y cwmni ffôl
Adref i'w twmpath, gan
Fy hela ar eu hôl.

Palas o gyfoeth tlws,
Bloneg pob glwth a moeth
Mewn stôr; ac yn y drws
Porthor mewn gynau coeth.

Ac yn y neuadd, gwledd
O fwydydd drud di-ri'.
Nid yfai cawr mo'r medd
A bistyllai ynddi hi.

Cofiwn y rhybudd hen—
Pe bawn yn bwyta peth
O ymborth Tylwyth Teg
Y byddwn yna ymhleth

Yn swyn eu gafael hwy,
Heb ddychwel byth yn ôl
I'r byd a adwaenwn, mwy
O'r deyrnas dros y ddôl.

Ond gwledda 'wneuthum i,
  Bolera yn eu hoen,
Ac yn eu cân a'u sbri
  Anghofio byd y boen,

Anghofio bom a dur,
  Anghofio byd a'i bunt,
Cydio yn sblout y fflur
  A gwanu gwae i'r gwynt.

Mor ieuanc yw'r awyr las,
  Mor iach yw gollwng gwae
Fel petai dwyfol ras
  Yn gawod dros y cae,
  Yn gawod dros y cae.

III

Yno y gallswn fyw
  Yn gywir yn eu gardd
Fel crwybr yn anadl Duw,
  Fel gair rhwng bysedd bardd.

Ond cadwai'r dyneddon stŵr
  Am ffynnon ger y llys
Na chawn ddim profi o'i dŵr:
  Am hynny, er cais a gwŷs,

Er y gwahardd cadarn hwn
  Ni allwn 'matal ddim.
Bu peidio imi'n bwn;
  Daeth trachwant drosto'-i'n chwim.

Yfais y gwlybwr clir,
  O'i ffresni cras a chry';
Ac wele, cyn bo hir
  Aeth y deyrnas fach yn ddu.

Diflannu a wnaeth y criw
  O'r lle. Nid ffwlbri llon
Ond gwacter crai di-liw
  A ymriniai ger fy mron.

A lle bu'r byrddau llawn
  A lloriau'r palas gynt
Ni welwn ond pentwr mawn
  Yn sychu yn y gwynt.

Adref y deuthum 'nôl
  I chwilio am fy llwyth
O'r deyrnas fflipant ffôl,
  O wlad y moeth a'r mwyth.

Ond yma nid oedd neb
  A welswn i o'r blaen,
Na chyfaill purion heb
  Ei orwedd dan y maen,
  Ei orwedd dan y maen.

IV

Dywedodd un hen ddyn
  Iddo glywed ei hen-dad-cu
(Er nas coeliai ef ei hun)
  Yn sôn am wyrth a fu

Ganrifoedd maith yn ôl—
  Fod gŵr, ni wyddai pwy,
'Ddiflannodd ar y ddôl . . .
  Ond och! ni chredent hwy,
  Ond och! ni chredent hwy.

HEN RAID

Cyfarwydd yw dy wên a'th arllwys te;
   Cyfarwydd yw dy law a'i hangen tyn;
   Ac 'rwyf yn hen gyfarwydd erbyn hyn
Â'r ffordd yr ymatebi ym mhob lle.
Ac eto cyfrin ŷnt; y maent bob un,
   Oherwydd cynefindra debyg iawn,
   Yn lledrith cudd a ofnaf. Maent yn llawn
Defod, mor adnabyddus nes bod dyn
Yn gofyn a yw'n perthyn i hen fyd
   Rhin a fu'n mudo ar ei rawd
   Erioed, byd y mae ei ddyheu yng nghnawd
A dwfn fy ngeni. A gwn eu bod i gyd;
Gwn fod y trydan a gyneua d'arfer—
O bell, ac na phrofaf yma ond hanner.

NEITHIWR ERIOED

Nid oes gan neb, hyd yn oed y coed,
   Y fath eiriau cysurlon.
   Yn awdurdod ar galon ac ar berson
Deelli bob ing, pob poen.

Ceni dy aros yn storm fy nos,
   Ceni grwth d'amynedd anferth
   Tra bo Rhufain f'enaid yn goelcerth
Tra bo'r call yn ffôl.

Fel y cedwi'r ddaear yn gron,
   Dydd yn dod, a bod yn fywyd!
   Felly y rhydi ac y pyli ysbryd
F'ymgleddyfu di-dor.

A heb gartref y bu fy mhen nes dy glosio di,
   Parod fy mhryder yn awelon
   Y ddunos anfodlon.
'Rwyt yn gwsg, 'rwyt yn gysgod, i mi.

MAWRTH

Yma nid oes ond gwanwyn: bysedd bydwraig
Yw brigau'r allt sy'n llithro led yr awel;
Yn wyn o newydd cydiant yn y bore,
Yn dynn dynn ymdaenant am ei gorff.
Fel cyw a gwyd yn dwym oddi tan aden iâr
Echdoe Mawrth a'i glochdar a ddeffrôdd yr ymlid
Ar glos tomlyd, clocsiog lle y mae'r ceiliog
Yng ngwynfyd dyfod a thasgiadau'i glwydo,
Plu ei ddathlu ar wasgar hyd y nyth.
Ni hed ond gwanwyn oddi yma hyd Ddyfed
A thywydd plentyn fydd yr awyr lân.
Dywaid y doeth mai ffôl yw moli'r melys
Gan fod y sur yn siŵr o ddod o'i ôl.
Diau fod yma wanwyn am y funud
Ond fe ddaw Rhagfyr, daw, a'i blu bach yntau:
Ni ddiainc dim ond gwacter hen ei hunan.

Eto byw yw ystyr a marw yw galar. Onid
Y sudd sy'n powndio fydd yn gwirio dyn?
Blagur a ddug fy mryd. Gymru, dawnsiaf arnat,
A'r gaeaf fe ddawnsiaf yn benstiff ar dy fedd.

AR WASGAR

O fewn cylch d'anadl 'rwy'n cael diogelwch
  Pan wyf yn dy feddwl yn meddwl dan gysgod dy fynwes,
Pan wthia dy wythïen drwy 'nghefn ac i lawr hyd fy mreichiau
  Dy waed yw fy ngwaed, a'm symud a'm tyfu yw d'anwes.

Mae blas dy gymdeithas mor gudd pan fyddi yn ymyl,
  Ni allaf ymatal rhag bloeddio. Mae'n magu cyhyrau;
A chaf chwistrellu haf i'm briger, i'm dail ac i'm bonyn
  Pan fyddo dy belydrau dwfn wrthi'n meithrin fy hadau.

Yn oerni dy wallt pan fo'n agos mae gwres diogelwch.
  Pa afon mor llon yn ei llif? Pa gerrig nas cabolir? . . .
Ond ymhell ac yn ifanc y tu draw i barwydydd clòs cynnes
  Ystafell fy mywyd 'nawr oedi yng nghrafanc dy hendir.

Dos fy nghân ati. Fe'i hadnabyddi o holl ferched Dyfed
  Y decaf, hawddgaraf, yr un y mae'r grug yn ei chalon,
Yno lle na hed gwylanod nac alawon fy nwylo
  O glegyr, o glogwyn gwrthnysig yr ynysig greulon.

ENGLYNION

Y WAWR

Marchog y ne' yw'r bore balch,—a dur
    O'r dwyrain yw ei astalch.
Nwyd ei frwydr a gwyd y gwalch
O'i wingell waedlyd wyngalch.

NOSON GERDDOROL

Ynghladd wy' yng ngwledd awen.—Mawr yw Bach:
    Y mae'r baich fel wybren.
Dan nef sain mor gain i'm gên
Bwyta, yfed Beethoven.

NYRS YR ENEDIGAETH

Mynnwn glodfori am ennyd—golier
    Gwely sy'n llawn golud
A gloddia'n ewn mewn munud
O wythïen croth bethan crud.

RHODODENDRON

Mae'r lleill o'r blodau mor llon—fel ar ŵyl
    Yn rhoi hwyl i'r awelon.
Maldoden yw'r haden hon:
Rhy dindrwm rhododendron.

I'R GARDDWR

Plastai yw'r glastai plastig—lle y tyf
    Wrth eu lle tân 'lastig,
Yn llond eu boch coch fel cig,
Tomatos awtomatig.

Ehedai o fan i fan o hyd;
Er hynny, Cymru oedd ei nen.

Mewn dyn cais b'le orthrechu pa bryd,
Ond gŵyr planhigyn—pa bryd sydd ben.

SIMFFONI

Mae'r cicio, y gwenu, a'r gwichian tlws
Yn becyn tawel wrth orwel y fam.
   Mae llond dwrn o'r nef yn glynu'n dynn
    Am chwydd y fron fel am haul ganol dydd.
Treiddia'r pelydrau'n foddlon feddw
I'w glesni siriol. Ac nid oes cwmwl
Mwy na'r llaw wen fechan ynghlwm wrth gwsg,
A chyfaredd yr wyneb yn ddwfn.

Wrth ei mynwes, cwsg yn rhith planhigyn
Heb ffraeo ag amgylchfyd mwy,
   Heb foddi'r distawrwydd ofn â gwaedd
    Yn cydorwedd â gyrru'r pridd.
Mewn cynghanedd â'r sêr cynnil
A chur hiraethus y tymhorau
Estynna'i hegin gleision,
A blodeua'n ogoniant lliw.

Cais ddychwel i gôl ei mam,
Fel y ceisiwn ninnau i Dduw
   Ddianc rhag annibyniaeth ar wyneb
    Tir y corff, a mynnu gwraidd,
A'r sudd coch o'r naill i'r llall
Yn eu huno'n un cylch annwyl,
Yn un enaid, yn un einioes,
Yn un dôn lawn donnog.

Tyngwn i'r haul hollti o ganu.
Onid o'i dafod y neidiai llu
Nodau ac arnynt dinc ei belydr
Fel clychau dŵr yn ffrwydro drwy wydr?

Yn yr afon huawdl torheulai
Danadl a banadl a gerddi'r tai.
Ond edn ydyw yno, gof yn asio
Dyn a ffurfafen mewn ffwrnais clod.

GWANWYN DYFFRYN TYWI

Turiwn â'n pen i'r mwswg a'r gwrysg
Ac yno esgorwn ar egin pob dysg:

Mae baban yng nghorff y ddaear
A hithau'n ymdeimlo â'i garchar;
Wrth iddo gicio y tu mewn i'w bol
Fe gicia'i meddwl yn rheiol.

Mae'r blagur yn sugno: rhedwn i'r ddôl,
Ac yno mae Llygaid Ebrill yn ôl.

Myfyriodd yr hin ar yr hanfod
Drwy'r gaeaf, a gweld nad darfod
Ond pridd ystyfnig sy'n berwi o had
Yw cragen loyw'r cread.

Efô sydd yno a haul wrth ei law
Yn bwrw o'r tu mewn ei wres y tu draw,

Hen optimist o Gristion
A bregetha ei sbri ger yr afon
Ac fel Sant Ffransis yn traethu dro
Fe fetha ag ymddal rhag dawnsio . . .

A pho agosaf yr awn â'n pen i'r tir
Rhwyddaf yn y byd fydd profi'r gwir.

AWEN

Coeden yw'r bwystfil blew
  A'i gafael fel gelyn Teyrnon:
'Mestynna i 'maflyd yn fy mwng
  A'm dwyn i mewn i'w chalon.

Y tu ôl i'r tŷ mae'r allt
  Lle y ciliaf fel ewin i grafanc.
Disgyn ei chroen am boen fy nghorff:
  Yn llyn fy myfyr, graean.

Coeden lle y gwyliaf y byd
  Drwy'i phalfau, gwylio'r anial
Yn prysur ddarfod, ffrwythau brych
  Drwy'r blewiach gwych mor wamal.

Y tu ôl i'r tŷ mae'r allt
  Sy'n sglyfaeth-aros pob diwedd.
Yno mi wasgaf i mewn i'w gwrysg
  A dysgu'i rhwysg a'i rhinwedd:

Nid hawdd ei threchu hi;
  Mae'i hawyr yn fwy na'i brigau;
Mae'r llawr yn ddwfn lle mae'r llwybr yn mynd,
  A'r adar a'r dail yn ffrindiau.

Mae'r tŷ yn gaer islaw
  A'i ffenestr loyw yn gwylio
A'r tu ôl i'r tŷ mae'r allt
  Yn rhuo'i henaid yno.

Yno mi af liw dydd
  I warchod gwynfyd gofid
A gwynfyd hoen. Ni bydd y llu
  Yn gwybod pa le i'm herlid.

A chyrch i'r allt yw pob cân,
  Ymgyrch anifail iddi
Sy'n bregus wylio drwy frigwaith gwig
  Gyflawnder byd a'i wegi.

CERDD AR FLAENAU'R TRAED

Ddiderfyn Gynhaeaf
　　Yng nghysgod Dy ffrwyth
Mae 'nghrefu mor ffug
　　A'm crefydd yn fwyth.

Fel pryfyn mewn cneuen
　　Wyf fi ynot Ti,
Mwynwr a dolcia'r
　　Grasusau di-ri'.

Ym mhlisgyn Dy farw
　　Mi lerciaf drwy ffydd
Nes bydd larwm Dy holltiad
　　Yn clochdar liw dydd.

O Arglwydd y pryfed
　　A fu drosof fi
Yn llai na'r lleuen,
　　Adleisia fy nghri.

Tyfodd clyfrwch 'maes o'n hetiau
    Yn y sioe, fel polyn haf:
Deiliodd difaterwch solet,
    Prifiodd anwybodaeth braf.
      (Diolch am bechod:
    'Nillodd inni Grist fel Hwn.)

Crach yw'r ffair o fforest, Arglwydd:
    Ni red drwyddi iaith na llên.
Codwyd y ffynhonnau i'r wyneb:
    Bellach hunant, fel pob hen.
      Gwna ni'n Gymry.
    Ieua ni wrth wreiddiau gwin.

Yna fe fydd cangen Perthyn
    Ar ein cefnau'n denu'r Gwaed.
Tra bo'r ffair yn llithro danom
    Tardda gras dan risglau'n traed.
      Ffynnwn mwyach:
    Hedwn mwy mewn wybren Grist.

MINNAU

Mae tragwyddoldeb yn yr allt
   A minnau.
Clywaf ei fys yn cwyso 'ngwallt
A llawer arall na wnaech ei ddallt
   Na minnau.

Tawel ei law wrth asio'r dail
   Wrthyf finnau.
Llifwn i'n gilydd; a'r pridd yn sail
I'n tŷ. Mae'r pren yn ffrâm ddi-ail
   I minnau.

Ond ef yw'r llwnc, y disodlwr mawr
   I minnau.
Ni ddeiliaf mwy pan ddaw ei awr
I lawcian fy munud â'i enau cawr
Heb adael ar ôl i brifio o'r llawr
   Ond yntau.

GWYBED MEWN CAWOD

Mae penolau'r gwybed penmoel
 Mor swil â machlud,
Yn dywyll o wyllt fel peswch
 Yn y glaw rhacsog.

B'le mae mynd o gyrch
 Yr awyrlu 'nawr te?
Mae pwys eu tân yn gôr.
 Mae'r chwys yn casglu.

Ai acw y mae caer
 Ym mhocedau'r llwyni?
Ai yma y ceir twll
 Yn y cyrliau gwair?

Creulon yw'r dur sur
 Gan daro a chofio
(Neu'n codi cof fel baw
 Ar gefnau'u hesgyll.)

Ai acw y mae rhoddi
 Penglog boenus?
Neu yma'n wlyb gan fryntni
 Cawod haf?

Bach, bach fel anadl
 Yw ofn eu cyrff bach papur.
Mân, mân fel bechgyn
 Dan fomiau cawod haf.

Y CRUD NEWYDD

Gwnaf grud geiriau iti . . 'Dwy'-i ddim yn gall,
Ac 'rwy'n siŵr o ddweud rhywbeth hurtach na'r
  Arfer. 'Wela'-i ddim chwaith pam mae pawb arall
  Yn y strydoedd mor gleiog o glaear,
Y muriau mor bwdlyd, y llawr mor wâr
A'r adeiladau'n edliw fy mod i'n ffôl.
  Cydneidiwch genfigennus frics a mortar.
  Acrobatwch floedd goncrit gruddiau'r bobol.

Cerwch i'r hewlydd a rhedwch yn ôl
O! chi fryniau chwim: a gwnewch ddawns coes brws
  Â'r ywen. Canys, tan gludo'r dyfodol,
  Anedlaist ti 'mhatsien anwyldeb. Ffamws
Yw llawenydd dy gynffon, ac er ffws
Gas a brys dy draed, ac er mai gwynt
  Yw dy wenau, tydi yw'r llofft a'r warws
  Lle y storiwn mwy bob mynd a dod. Hebddynt

Stond fyddai byw. 'Dyw golau ddim yn gynt
Na chalonnau'n balchder. Balch ar bob tu
  Ŷm wrth hel odanat heli pob helynt,
  Ein smotyn diniweidrwydd gwlyb diferu
Stecs. Annwyl ddisodlwr, drosolwr cu
Cu, cei bobol reit sur 'ma mewn sawl stryd—
  Fel y gweli eisoes. Na hidia am hynny,
  Ddiamddiffyn, fe gei laeth a gwres hefyd gan y byd.

FY MABAN

Haws yw gweld i Iesu Grist
  Droi y dŵr yn win,
A bod y Dwyfol Alcemist
  Yn rhoi i blwm Ei rin.

" . . y mab hwn a'r ferch hon, y rhai yr ŷm ni yn eu
bendithio yn dy Enw di; fel ag y bu i Isaac a Rebeca . . "

I

Saf. Taw. Pwy wyt ti? meddai'r meddwl o'm cefn.
Teithiwr, paham? meddwn innau a llam.
O b'le? I b'le? meddai'r meddwl drachefn.
O ysfa am deithio i chwilio am
Wraig. Pam lai? A oes gelyn cudd? . . .
Dim byd, dim byd. Ond bod
Dy gorff di'n boeth ac yn llosgi'r pridd.

II

Ond sleifiodd serch neu epil serch i soddi
Aelodau yn fy nghesail wedi i minnau
Gael rhyfeddod croen yn gelfydd ei goleuni

Ar bob llaw. Fan draw yng nghwch fy nghusanau
Fe lithrais i drwy donnau gwyn ei hanfod
Yn gysegr-lân ac yn ddwfr-loyw mewn cwysau

Clir. Nofiai fy serch am ei chlustiau fel lilïod,
Yn wreiddiau, yn friger, yn arogleuon llatai.
O! gallwn rasio ar hyd a lled fy nychdod

Fel baban ar lan dŵr. Twt, maldod! meddai.
A gwrando ei miwsig fel 'tai'n afon
Fyrlymog barablus o badell lon a'm golchai.

'Alla'-i ddim synio amdani heb i mi deimlo'n
Gyfarwydd â'i chorff a'i henaid a'i holl boenau bach
A'r pleserau a gedwir yn dwym yn stof ei hatgofion.

Nofiais drwy'r gorffennol rhyngom: y mae'r plantach
Yn genfigen grach i mi, a fu'n gyfeillion
Iddi gynt. Hoffwn bacio ' mhen mewn cadach

A'i hala'n ôl i lynnoedd ei phlentyndod,
Neu'n glap bach twt ar fôr ei chof ei osod.

III

Maldod, maldod! . . Paham? Onid oes lloergan
Yn ei gwallt yn llercian yn rheiol y byddai rhywun
Yn troi'n wallgofddyn traws o'i weld mewn unman?

Cymysgwn ynghyd ein hamherffeithrwydd a'i blethu'n
Un fel diferion dwfr, mor dawel â dau fwgan
Yn ymgom â'i gilydd liw nos. O! dos y ffwlcyn

A'th hen faldod, maldod, maldod! Pe baet yn gwybod
Ffosydd, fel gŵr blewog, ac wedi gwaedu
Yn gyhyrog ar wifrau rhyfel, ni'th deflid fel pysgod

Yn ingol nyddu ar ewyn dy angerddu,
Ni safit yn fud o flaen Helen, O Maximus,
Yn fud fel dosbarth o blant . . Ond, o ran hynny,

Fe waedais droeon, do, ar wifrau ei gwefus;
Ac wrth hongian ar weflau cochion ei chalon
Breuddwydiais am ei ffosydd cudd yn wancus.

Och! Gad ddiferu blonegog d'ymadroddion
A chosi annwyl ei chusanau. Bydd rydd:
Rho gorff yn ei le ar gefn glwth am noson,

Ond cadw d'enaid yn uned. Nid corff y sydd.
Gartref yn fy myd mae digon o gyrff, cyrff-gwynias
A chyrff-gwynog, detholiad parchus o gluniau prudd:

Eithr bu arnaf hiraeth am gymhares addas
I fod yn angor byw yn angau'r byd,
Un i fod yn gegin i mi ac yn balas.

'Rwy'n caru'i chymdeithas hi, ei chymdeithas hyfryd,
Caru ei hunigrwydd ac absenoldeb strydoedd—
Dim ffair, dim ceir, dim llyfrau, na dim bywyd,

Dim ond y distawrwydd rhwydd sydd megis elor
Am fy meddwl i, y distawrwydd rhwth sy'n esgor
Ar freuddwydion . . .

IV

Mewn breuddwyd dro, a minnau'n Facsen Wledig,
Gofynnais iddi: O ble y deui? Ateba.
Ai o fforestydd ffyrnig ogoniant Affrig?

"Nage, nage. Ni ddof o'r cyfeiriad yna . . "
Ai ynte o falmaidd lysoedd bras y De?
"Nage . . " O ble? O ble? Ai o thus Arabia

A'i myr melys a'i haroglau pleserus? "Nage.
Nage, nage. O Gymru dila y deuaf,
Paradwys ei thir; pereiddiach yw nag unlle

Ger igian yr eigion brau. Llesmeiriol braf
Yw ei bronnydd brown hi; a gwelais glytiau
Ei brain ar daen uwch unigrwydd haf

Segontium—a'r gwŷr achlysurol, rhyw un neu ddau
Mor anaml brin o'r bron ag y dylent fod.
Yr hynod Gymru hon fu'r preswylfod mau."

Aros. Cymru? Ble mae honno? (mewn syndod.)
"Yn agos i Loegr . . " Mi wn, mae'n rhan ohoni.
"Yr un peth, dyna ti. Bro hir gylfinirod,

Hen le mynyddig lle nad oes dim ond tlodi
A gwynt yn byw am sbel, a drewdod drud,
A phydredd ffres y ffos. Ac amdanaf fi,

'Rwy'n cofio'n iawn, un ennyd yn fy mywyd,
Pan fûm i'n ferch o'i gwerin, a rhacs a charpiau
Am lif f'aelodau cul yn syml ymsymud.

'Roedd blas y buarth yn diferu ar hyd fy fferau,
Yn fy halltu yno, hyd gŵys fy morddwyd laes.
Cartref oedd cael haul o'r lloffion ar fy ngliniau

A glaw o'r us yn sugno fy nghusanau.
Tro rhyfedd ydoedd cael fy ngeni'n Gymraes."

Diflannodd hi o'm golwg; fe aeth i maes
O'm byd, heb adael ôl ond ôl ei geiriau.

Tybed a oeda cariad yn hwyr mewn geiriau?

V

Cariad gwragedd? Ho! dim ond cariad ysbrydol
'Gei di gyda nhw . . Beth am eu chwantau? . . .
Hen bethau bach, hen fwydion bach dirmygol

Yn codi'u pennau gwelw a siglo, hwythau
Heb fawr o sylwedd; chwantau fel plant mân
Mor dila ac mor eiddil â rhyw hen glytiau . . .

'Rwyf finnau'n credu cariad gwraig, fy hunan,
A thros ei phurdeb oglau cain cynhaeaf.
Ni all ond profiad ei ddysgu i'r newyddian,

A'r dyn sydd hebddo, o bobun ef yw'r tlotaf.
Purdeb cariad? Ho beth yw purdeb cariad
Ond dwrdio ar hyd y dydd heb gywain gwanaf?

'Rwyf finnau'n meddwl fod amhurdeb lladrad
Yn llawer uwch ei werth na hir ymrafael
Dros anghydbwysedd rhyw. Ni waeth heb siarad,

Breuddwyd i gyd yw nwyd, tric-gwely gwael,
Y freuddwyd 'rŷm yn ei chael fel breuddwyd angau
Yn oer bersonol, heb hwylio ei llaw yn hael

Fel breuddwyd haf di-loes o gylch y coesau
Ar ddiwrnod golau-agored. A phan fo'n foethus
Rhyw blu tu-fewnol yw: maldod-feddyliau

Am aelodau merched a'u melodi amharchus,
Miwsig maswedd ar dannau cwsg. O'r arswyd!
'Dyw merched mwyn yn ddim ond cred hygoelus

Gan lanciau claf. Er mwyn pob haf a gafwyd
Na orwedda a'th ben yn y nos fel buarth heb geiliog.
Fe all cŵn hwythau wau breuddwyd.

Dichon fod dy gylla di'n dost a bod hafog
Dy nerfau'n cloncian trosto, fel tristwch telyn.
O leiaf, na fydd yn unig am dwysoges garpiog!

VI

Tebyg dy fod yn iawn: bûm yn wlyb ac yn llipryn,
A bûm yn ferfaidd. Bu tristwch yr anaeddfed
Yn llyffethair drosof. Ac mae cywilydd yn dilyn

Yn ogystal â galar, yn ysu yn fy arffed,
Yn ffiaidd yn f'ysbryd. O! Dere, dere, dere.
Gan bwyll. Gan bwyll. Nid yw pob cywilydd cyn d   dued

 hyn. Cei chwifio rhai fel plu i'r ne'
Yn selog ddigon. Mae gennym oll ddamcaniaethau
Sut yr ymddygem-ni mewn ambell le.

Bydd y lili am sefyll a herio angau
Ac felly y penderfyna'n sionc bob hydref;
Ond gwywo a wna. Gwywo sydd raid i minnau.

Ti oedd yn iawn, y sinig, 'rwy'n cyfaddef.
Fe fûm i'n wlyb, yn llipryn, ac yn ferfaidd.
Ac wedi ffoi mae'r teuluoedd oll o gartref

Gwirion fy nhraserch: diwreiddiwyd fy iaith garuaidd
A phylodd fy llygaid, nid ŷnt ond hen gleddyfau
Wedi'u dodi heibio, a'm bysedd yn fenig ffiaidd

Gwag. Bydd fy mreuddwyd fud, 'run llun â minnau,
Yn gwanhau, yn dadfeilio, yn diflannu yn ôl trefn y byd.
A gwir yw bod gennym oll ein damcaniaethau.

Mor frawychus o ddechreuol ydyw gwynfyd
Serch, rhyw gam pitw bach i wlad cyd-ormes.
A phan gladdwn ef ar ymyl priffordd bywyd

Syrth y gronyn i'r ddaear ac aros heb anwes:
Bydd wylo yn ei ddwylo pan glyw yr ysbryd
O'i ôl yn bipsan: cofia gadw'n gynnes

Gyda'r nos. Gwêl fod digon o flancedi hefyd
Ar dy wely. Mae rhai gwledydd yn oer trybeilig.
Erlid y mae'r gwir bob rhith dedwyddyd.

VII

Mor ddiffaith wyf, mor anial bron â dinas,
Mor ddigalon â draen, yr un mor annigonol;
Ac mor annheilwng fu fy nghorff i o'i hurddas.

Twyll fy mhwyll. Syml yw'r didwyll, a dwyfol;
Tra na bûm i ond rhacsen yng nghwstard trwchus
Lwmpog fy llencyndod llipa, 'roedd hi drwy'i chanol

Yn gyllell wen o burdeb. 'Roedd ei gwefus
Yn fwy na chnawd, a'i llais yn llai na swn,
A syllai arnaf gan annos ei hewyllys:

"Oni chawn-ni fynd allan am dro gyda'n gilydd
Heno fel yr arferem mor ddigywilydd?
Gawn-ni fynd i'r traeth a cheisio crancod
A'u rasio nhw'n barau ar hyd y tywod?
Tyrd gyda mi heno. Cei di areithio
Wrth y môr a'i gryndod. Fe wna'-i guro dwylo.
A bydd pob peth fel y byddai'n weddus:
Fe gawn-ni hwyl. Byddwn eto'n hapus."

Fel milwyr 'roedd ei geiriau yn f'ymennydd
Yn gwanu chwerw amheuon heb gŵyn na cherydd.

O'i chlywed gwingai drysni fy nadleuon
Ac nid oedd greddf fy mhen yn gwbl anfodlon.

VIII

Dadleuai 'ngwarth a'm gwaradwydd; ond gwyddwn innau
Fod profi'n drech na'r pryfyn, a bod adnabod
Yn geinach lawer na'r hunan-dosturi gynnau.

Anwylyd, cawsom olwg y tu hwnt i ofod
Ac ni bydd dim drachefn fel y byddai gynt.
Boddodd drosom ruthm unol yr holl syndod

A welwyd dro pan unwyd pridd wrth bridd cyn
Torri dyn ohonynt, y syndod cynnar
A groesodd y gorffennol rhyngom. Onid syn

Teimlo'r sudd odanom yn y ddaear?
Lle bu pridd rhydd bydd tir sad:
Cans clywed symlder cread yw gwybod cymar.

Nid yw dadleuon cnawd namyn gwag siarad;
A chwantau'r hunan, nid ydynt namyn ager
Yn cylchu o simnai'r geg, o'r glust, o'r llygad

I fyny fel breuddwydion hyd y cytser.
Fel plentyn bach cerddwn o dan yr wybren
I mewn i lesni dwyffrwd 'droes yn gymer:

Ffrydiau mewn dirgel undeb o lifo llawen
Yng Nghana Galilea. Ei win Ef ydyw
O'r rhyw a eplesir yng ngherwyni y ffurfafen.

GWREIDDIAU'R DIAFOL

I

Bachgen o'r wlad yw 'nghalon. Cymro
Gwledig diniwed. A gwell pe bai
Wedi aros am gyntun gyda'r moch
Gartref, yng nghwmni'r budreddi cynefin,
Yn lle rhynnu ar uchelderau'r dref.

Gartref, cymdogion ydoedd y gwartheg
Yn cydbori â ni'r bobol, yn cydweithio
A'r un diben. Ymunai'r tywydd,
Dynion a gwartheg i gyd mewn cymdeithas
Raslon heb un yn gormesu'r llall.
Ond newidiodd popeth. Nid yr un yn awr
Yw'r wlad, nid yr un wyf fi. Mae rhywbeth,
Rhywbeth dieithr yn yr awyr hon.

Ddoe euthum adre ar dro i'r weirglodd
Sy'n gymydog i'r tŷ, ar bwys, agos,
Honno lle y mae'r nant blentynnaidd.
'Roedd y bore newydd eillio blew ola'r nos,
A phwyllgor teg o wartheg pendant
Yn pendroni ar y maes. Pan gyrhaeddais i
Troes pob un ei thrwyn. Pan rois fy llaw
I'w cyfarch, ymlusgodd pob un ar ei thraed
A chilio. Chwarddodd yr haul yn nerfus
Y tu ôl i mi, ac ar y rhiw

Cododd y niwl ar frys . . .
                    Dibwys?
Heb arwyddocâd? Mae pob bachgen o'm hoedran
Wrth ei fodd yn credu fod profiadau
Rhyfedd, annaturiol, uchelgeisiol ganddo—
Er mwyn sefyll ar wahân yn llifeiriant byw.

Ie, efallai. Ond mae rhyw arall yn fy nillad hefyd,
Rhyw gŵyn yn fy mhen na pherthyn i ddyn iawn,
Rhyw naws yn fy myw na welais erioed gartref.

Mae straen ar yr haul fel wyneb mam ifanc
A'i mab yn y rhyfel. Nid oes dim eisiau
Bod yn farddonol amdano, mi wn.
Ond a bod yn blaen, mae dolur rhydd
Ar fy nghalon ben bore: mae'n annifyr.
'Dwy'-i ddim yn bartner i'r bore, adeg
Pryd y mae'n rhy gynnar i fod yn ddifrifol
Heb fod neb ond blodau meddal dros y maes
Ac ambell eos bybyr yn carlamu
Ar ebolion y golau. Mae'n llawer rhy gynnar
I fod yn drist. 'Rwy'n hen ffŵl rhy gynnar.
Bachgen bach o'r wlad mae'n debyg.

II

Am hynny 'roedd y gwartheg mor od, mae'n siŵr.
'Ddylwn-i ddim fod wedi 'madael â'r wlad
Dyna'r gwir .. Ymadewais heb ymadael
A chadw 'nghalon. Mae gan bob cenedl galon;
Ac ai fi yw calon hon? A oes
Gan Gymru druan galon? .. Oes
Mae Cymru'n galon i gyd, i gyd.
Ac mae cymaint o eneidiau tragwyddol ynddi
Na fedra'i gyda'r anialwch hwn o gorff
Ddeall y cyfan ar unwaith. Ac mae hi ynof.
Edrych ar fy wyneb, y gwefusau tenau,
Y llygaid callestr, fy nhalcen na ŵyr
Grychu'n faes o chwerthin, a'r gofid ei hun.
Dyna ganlyniad y casineb a anwyd gyda mi,
Y casineb a'm carodd ac a dyfodd gyda mi.
Pan own i'n ifanc ac eisiau chware
Gyda'm bwced, fe biciai casineb
Ar f'ôl i'm hatgoffa yn anterth fy hapusrwydd
Fod Satan yn ofalus dros ei feibion ei hun.
'Roedd y wlad i gyd ynof y pryd hynny.

Trueni cyffroi oherwydd tamaid o wreiddyn!
Gorwedd i lawr f'enaid. Paid â chribo f'asennau.
Aros dro yn glyd. Pendrona ar dy fyd.
Ifanc ydwyt tithau o hyd, er na haeddi
Ieuenctid. Sefaist-ti ddim yn sownd
Yng nghilfach y canol-oed i wylio'r teimladau
Fel anifeiliaid blin yn cilio o'r mynydd
A theimlo'r un rhyddhad ag a deimlir
Wrth farw. Crafanga d'angerddau ynot
Yn fabanod y.1 dy freichiau, hen fwganod
Pur y wlad yn corddi'r perfedd,
A'u tawelwch yn golchi'r holl sŵn i ffwrdd.
Dyna nhw'n cychwyn, nid fel llew
I rwygo'r croen a chochi byw'r llygaid
Nac fel arth yn canu o'r gogledd
Daranau'i breichiau, ond fel dafad
A'i llawenydd tyn yn tyfu'n dyner ynddi.
Egwyddorion tyner pridd y wlad yn aros.

III

O'r wlad! 'Ddylwn-i ddim fod wedi 'madael. Dyna'r gwir.
Mae hyn, debyg iawn, yn fater diwinyddol
Fel pob sâl tir. Mae'r wlad ynof,
Ynghudd yn fy mhoced, yn ystyfnig, yn y dref.
Mae colli gwraidd wedi codi aer
O fwgan.
Fel y byddai Rhys y saer yn arfer dweud:
"Jones bach, 'rwyt ti'n rhy newydd-eni
Heb droedio dy un-ar-hugain. Ac fe erys
Gormes dy rieni arnat ti o hyd,
Gormes y wlad, gormes na sylwaist ddim
Arno, mae'n bosib, na hwythau chwaith,
Ac eto sydd yno, gormes dy fagu,
Dy ddynwared, gormes d'amgylchiadau
Mawr a mân. Cyn bo hir, deui'n rhydd
I ryw raddau, yn raddol, heb ymwybod.

Fe ddeui'n annibynnol ac etifeddu
Treftadaeth personoliaeth. A'r pryd hynny
Fe snecia gormes arall i'th faeddu,
Traha cyfrifoldeb, balchder ysbryd.
Fe weli dy bwysigrwydd, ac fe fydd hwnnw
Yn dy lunio di. Ac yna cyfyd
Anniddigrwydd wrth geisio llenwi côt
Na thorrwyd yn naturiol ar dy gyfer.
Efallai y gweli wedyn mor drist
Y gall gŵr o safle fod, ac mai afiechyd
Yw heneiddio."

'Roedd Rhys yn iawn, neu'n hanner iawn
Fel llawer dyn ond Duw. Wedi'r cyfan,
Mater diwinyddol yw hyn, goelia'-i,
A 'does dim rheswm i mi fod yn fudr yn ei gylch,
Dim rheswm chwaith i mi fod yn gas.
"Deui'n rhydd", meddai'r hen foi. Yn rhydd?
'Rwy'n clywed ei chorff hi'n trwyno am
Gyffyrddiad fy llaw. Mae arni drachwant
I'm cofleidio i a chiniawa ar fy ngruddiau.
'Dwy'-i ddim yn dawel finnau. Dyma—yn y dref
A'i thaeogrwydd, a'i brad, a'i hisraddoldeb,—hi
Ynof yn chwilio am ymateb, a'i phechod
Yn galw am y byd ynof a'i mater mamol.
A ddihangaf yn rhydd? A ddaw hedd ryw ddydd?
A dyfaf heibio i'r llawfaeth?
                              Cordda'-i 'ngweledigaeth
Nes aeddfedu; ac wedyn—cerdded i'r hewl,
I'r cartref, i'r capel, i'r farchnad i ollwng
Fy mwystfil ymysg chwiorydd cwsg,
I ollwng fy ngwlad i'r gwynt. Mae'n tyfu'n felys
I gicio damnedigaeth dros y byd.
Fe gerdda'-i drwy'r strydoedd a sachaid
O bechod dan fy nghesail i luchio sypiau
Yn wynebau'r hil a thasgu gwyn eu gruddiau.

Casineb fydd y dŵr yn ffrïo yn ffwrn fy ngheg.
Casineb fydd fy llygaid yn poeri o bair fy mhen.
Casineb a chasineb fydd fy nwylo
Yn gwasgu angau ar luniaidd war y byd . . .
Ar hyn o bryd, wrth gwrs, fe fydda'-i'n ddistaw
A phendroni . . . .

IV

Dim lwc. Aeth hi ddim.
Mae hi'n glaf ynof o hyd. Er ymadael
Yno mae hi'n gorwedd yn blwmp ar fy mynwes
Fel tu mewn clwyf wedi gwaedu ar fy mynwes.
Sâl iawn yw'r wlad o ben bwy gilydd
A thros bob llan a chartref mae cysgod y Diafol.
Mae fy nagrau'n ysgwyd bys, yn procio fy llygaid,
Fy nagrau'n gwenu eu siwgwr cyfoglyd
Fel pe taflasai fy llygaid o'u stumog i fyny.
'Ddylwn-i ddim fod wedi 'madael â'r wlad.
Wrth rwygo mae hi'n creithio ac yn suro
Yn fy mynwes, ac yn chwerwi yn ei phoen,
Yn fynyddog yn fy ngalar. Dyna'r gwir.
'Rwy'n teimlo fel coeden dal, luniaidd
A ymsythodd er mwyn llowcio'r glesni i'w chrombil,
Ac a siglodd ei changhennau ym mherfedd yr heulwen
Ac y breuodd ei gwreiddiau yn y pridd, ac
A gwympodd. Mae popeth wedi newid.
Mae colli gwraidd wedi codi diafol yn aer:
'Ddylwn ddim fod wedi 'madael â'r wlad.

UNAWD I GARWR

Beth sydd yn bertach na menyw feichiog
Yn cario'i bola trwm fel prifweinidog?
Bodlonrwydd bodolaeth drwy'i llygaid du
Yn fflamio'n ffaglau braf o frigau'i bru.
Credaf nad oes ond unpeth drwy'r holl fyd
Yn bertach; a hwnnw ydyw'r pryd
Y chwydda cnawd dy wyneb di yn wên
A'r gadwyn rhyngom ni yn cydio yn dy ên.

Beth sy'n hyfrytach na baban unflwydd
Yn chwydu llaeth ei frecwast dros f'ysgwydd?
Mae ymddiriedaeth dyner yn ei gyfog
Yn dwymach na'i ddwy fraich amdana'-i'n serchog.
Credaf nad oes ond unpeth drwy'r holl fyd
Fwy hyfryd; a hwnnw ydyw'r pryd
Yr ymollyngi dithau'n llond o och
Gan guddio ynof dy wefusau coch.

CÂN CORFF

Mwyn yw aelwydydd main ei haelodau.
Estyn ei llais ar fy nghlustiau, yn glwstwr
O eiriau eirias, yn annwyl eu hanian.
Rhewa ei harddwch a rhuo ar erddi
Fel enfys o flaen ynfyd,
Ac ymledu'n garped dwyreiniol. Hiraethaf
Am eistedd arno
A chael fy nghludo
O wastadedd anhapus fy niflastod
I froydd rhith y parau pur.

Yma mae'r dydd yn treulio'r nos.
Myger f'edmygedd rhag chwant ffuantus
Rhag codi ac afradu hyfrydwch
Ei chorff llawn, a charu ffau-llewod
Ei llwynau unig. Mor uthr â tharw'n rhuthro
Y gafaelaf yng nghnu ei chnawd
A'i lyfu'n glaf; y greal gwyn a'r gruddiau grasol,
A chusanau'i chynhaeaf wedi'u trefnu'n rhes
Mewn poteli ar fy nghyfer.

Ond gorff,
Os o'i herwydd y gwadwyd Nef
Rhagom ni, . . rhegi wnawn
"Cadwed Ei Nef."

ANGYLES MEWN FFEDOG

Angyles mewn ffedog
   Yn brwsio, yn sgwrio
A golau'n lle sebon
   Yw Cariad diguro.

Mae'n golchi a smwddio
   Calonnau gelynion,
A'u gosod i'w crasu'n
   Ugeiniau glân gwynion.

Mor bêr yw ei chartref
   Ag arogl teg erwau
O wair wedi'i dorri
   A'i b'ledu â blodau.

Angyles mewn ffedog
   Yn brwsio, yn sgwrio
A golau'n lle sebon
   Yw Cariad di-guro.

IÂR FACH YR HAF

Yn iâr fach yr haf o alar i alar
Y neidiais gan rwbio 'nagrau yn erbyn ei gilydd
A throi'r cod-adenydd fel blodau i fyny
I ddal gwenwynau'r gwanwyn a drochai fy nghrys i.
Mi wincio-gyffyrddais â chariad
Yn iâr fach yr haf.

Neithiwr, tithau'n iâr fach yr haf, disgynnaist
Disgynnaist ar fy llwynau ac wedyn i ffwrdd i ffwrdd
I brofi hoen yr haul a chroen yr awelon:
Ond minnau fel beddfaen
Ni neidiaf fyth eto o alar i alar
Yn iâr fach yr haf.

I

Dowch â chyllell a fforc; fe alla'-i fwydo ar hon.
Dowch â'r cantorion. Dowch â'r ffrwythau a'r teisennau,
Y morynion i ddawnsio a'r bardd i ganu.
Ond 'fydd dim eisiau gwin. Mae digon yma.
'Fydd dim eisiau cig. Mae hwnnw hefyd yn helaeth:
Dowch â chyllell a fforc, a halen a llysiau.

Mae llawer o greaduriaid heblaw'r gwyfyn
A â allan gyda'r nos; fe welwch lawer
Ohonyn-nhw'n sleifio o lwyn i lwyn
Ac o flodyn i flodyn, ond i chi aros yn dawel
A'u gwylio nhw'n dirion. Ond o'r holl greaduriaid
Sy'n mynd allan gyda'r nos,
Serch yw'r tywyllaf a'r mwyaf gwancus.

Afal wyt tithau, afal cyntaf bod,
Bob blwyddyn yn bwrw ei ffrwyth
Heb dreulio dim ond chwyddo i berffeithrwydd.
Ond wedi i mi blicio'r blagur ar goeden cariad,
Ofnaf y bydd cynrhonyn ar y blagur,
Cynrhonyn a dail melyn ar y blagur
A phryfed sy'n debyg iawn i eira gwyn.

II

Lle bu Duw'n cynnal Cymanfa Ganu
Yng nghapel fy nghnawd, y mae'n llwyd o'r bron.
Tywyll a llychlyd yw fy serch
Ond lle bo llygod wedi taro'u carnau.

Fe dorrodd y peiriant a wnaeth fy ngwenau;
Ac 'af i ddim allan i siarad
 phen y bore, â'r bore a'i wallt coch
A wnâi i mi wenu.

Cans 'roedd ganddi ddau brofiad ar bymtheg
I'w cynnig, a rhoddodd bymtheg yn fodlon.
Cymerais i'r ddau arall.
A 'doedd dim rhagor ar ôl.

Yn raddol blinodd fy serch
Wedi'i ddisychedu'n derfynol. Bellach
Mewn tywod crach y crwydra'r taeog hwn,
Ac ymysg cerrig oer y mae ei aeaf efô.

III

'Rwy'n wallgof
Ac yn falch i fod yn wallgof
Ymhlith dynion.
Ti ferch swynol a synnwyr sicir gen ti
Cadw dy sicrwydd;
'Rwy'n wallgof.
Cadw dy sicrwydd a'th enaid o ddŵr llonydd
A'th gorff yn fyw, mor fyw.
Gwallgof ydw-i'n
Pysgota am heulwen mewn dŵr oer.
Ni ddeelli di
Am dy fod di'n bwyllog
Fel byrddau bolrhwym y cymylau
Cyn gwacáu plu'r eira
Gymaint â llythyrau droso'-i,
Ni ddeelli di'r
Gyfrinach hon a'i serch.
Sicrwydd tebyg
A adeiledaist ti fel uffern dwt o flaen
Dy fynwes a'th serch; a churo,
Curo, curo fy mhen yn eu herbyn
Sy'n fy ngyrru i'n
Wallgof.

Mae gen i wefus wedi'i thorri,
   A phan own i'n faban
'Allai mam ddim f'arddangos—
   "Dyma fy nhegan.

"Dyma fy nhrysor. Edrych ar ei enau.
   Ond yw ef fel ei dad?
Gwêl gywirdeb ei wenau
   Wrth chware â'i dra'd."

A phan euthum i garu
   'Doedd fy ngwefus i ddim
Yn goron i'm cariad
   Na'm cusan yn llym.

Ni theimlodd afal fy nghroen
   Ar ei chochni di-nam.
Yn lle cynhaeaf aeddfed,—
   Llinell gul fy nghusan gam.

Hunan-dostur yw'r stori?
   Nid wy'n damaid dustoriol.
Ond mae'r argof yn ddogon
   Digon diddorol.

LLENCYNDOD

Nid oes dim profiad gan yr hen,
Dim ond cof am brofiad, dim ond cof . . .

Wel geilw amser. Cer', a phob hwyl, Lencyndod.
Ni fuost yma'n hir; 'flinais i ddim arnat.

Eto rhaid mynd, ac 'wyla'-i ddim ar d'ôl.
Hwyl fawr i ti, a diolch hefyd o'm calon

Am yr ansicrwydd a gnociaist i'm hesgyrn,
Am dy swildod dirgel a'th gwmni egnïol.

'Rawron, cymer fy iasau o un i un
Bob-o gadair esmwyth, i eistedd yn ôl yn dew

A gwenu'n gariadus ar y blodau'n ysgwyd yr awel;
A phan ddaw'r cyfle, hwyrach, cipiant dipyn o gwsg.

Nid oes dim profiad gan yr hen,
Dim ond cof am brofiad, dim ond cof . . .

LLYFR YW BYW

Llyfr yw byw o gerddi, storïau, croniclau,
Pregethau, a symiau a'u hatebion yn y cefn.
Ac yn y canol tudalennau du, du, du:
Ar ganol y creu y mae cysgod.

Stori yw bywyd na chlywir ddim o'i diwedd,
Chwedel a ddechreuir yn llawn asbri ac ystyr
Ond heb adael i ni aros i'r pen.
I'r gwely! I'r gwely, blantos.